Traducción: Diego de los Santos

Título original: *Drie rode rondjes. Het grote telboek van Kaatje*
© Editorial Clavis, Hasselt-Ámsterdam-Nueva York, 2017
© De esta edición: Grupo Editorial Luis Vives, 2018

ISBN: 978-84-140-1073-0
Depósito legal: Z 1381-2017

Impreso en Serbia

EL GRAN LIBRO DE LOS NÚMEROS, LAS FORMAS Y LOS COLORES DE LAURA

Liesbet Slegers

EDELVIVES

A Laura le gustan mucho los **colores.**
Azul, amarillo, rojo, verde...
Cuenta los botes de pintura:
uno, dos, tres y cuatro.
Y pinta distintas **formas.**
El círculo es el sol.
¡Mira qué corazón tan bonito!
El cuadro ya está listo.

¿Acompañas a Laura a contar
en este libro lleno de números,
colores y formas?

Colores

Mira todos estos colores:
azul, verde, morado y amarillo.
Son las cintas de la cometa.
¿Venís a volarla con mis amigos?

Laura dibuja con pintura amarilla.
Su falda también es amarilla.
Luego pinta con el color rojo.

¿Ves su camiseta roja?
¿Y la pintura azul?

La manzana es **roja**.

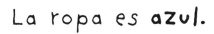

La ropa es **azul**.

El pollito
es **amarillo**.

El sol es **amarillo**.

El cielo es **azul**.

La mariquita
es **roja**.

Laura sabe hacer magia con los colores.

¿Ves qué nuevos colores se forman
cuando mezclas otros?

amarillo + azul = **verde**

amarillo + rojo = **naranja**

negro + blanco = **gris**

azul + rojo = **morado**

rojo + blanco = **rosa**

amarillo + azul + rojo = **marrón**

¿De qué color es cada animal? Busca el animal de color:

naranja   verde   morado   gris   rosa   marrón

Me disfrazo para una fiesta.
¿Me visto de abeja **amarilla?** ¡Bzzz!

No, voy a ponerme otro disfraz.
¿Me visto de rana **verde?** ¡Croac!

Soy una Laura trabajadora
con un mono **azul.**

¿O me disfrazo de princesa
con un vestido **rosa?**

Puedo apagar un incendio
con un traje **rojo** de bombero.

¡Miau! ¿Qué te parece
mi disfraz de gatito **naranja?**

Mejor llevaré algo de cada color. Será más divertido.
¿Ves qué color tiene cada disfraz?

A Nacho y a Laura les gusta mucho comer fruta.
En el dibujo de abajo han cambiado algunos colores.

¿Sabrías encontrar las diez diferencias?

Mira las cestas. ¿De qué color son?
Lleva cada pieza de fruta a la cesta de su color.
¿Puedes llenar todas las cestas?

rojo

azul

amarillo

verde

El limón

La manzana

Las moras

Las uvas

La fresa

La pera

Las cerezas

El plátano

La manzana

Los animales juegan al **escondite**.
Cada uno se esconde en un lugar con un color
igual al suyo.

¿Ayudas a Laura a encontrarlos?

¡Las crías de estos animales
han cambiado de color!
¿Qué cría es del mismo color
que mamá gata?

Di de qué color tendría
que ser cada cría.

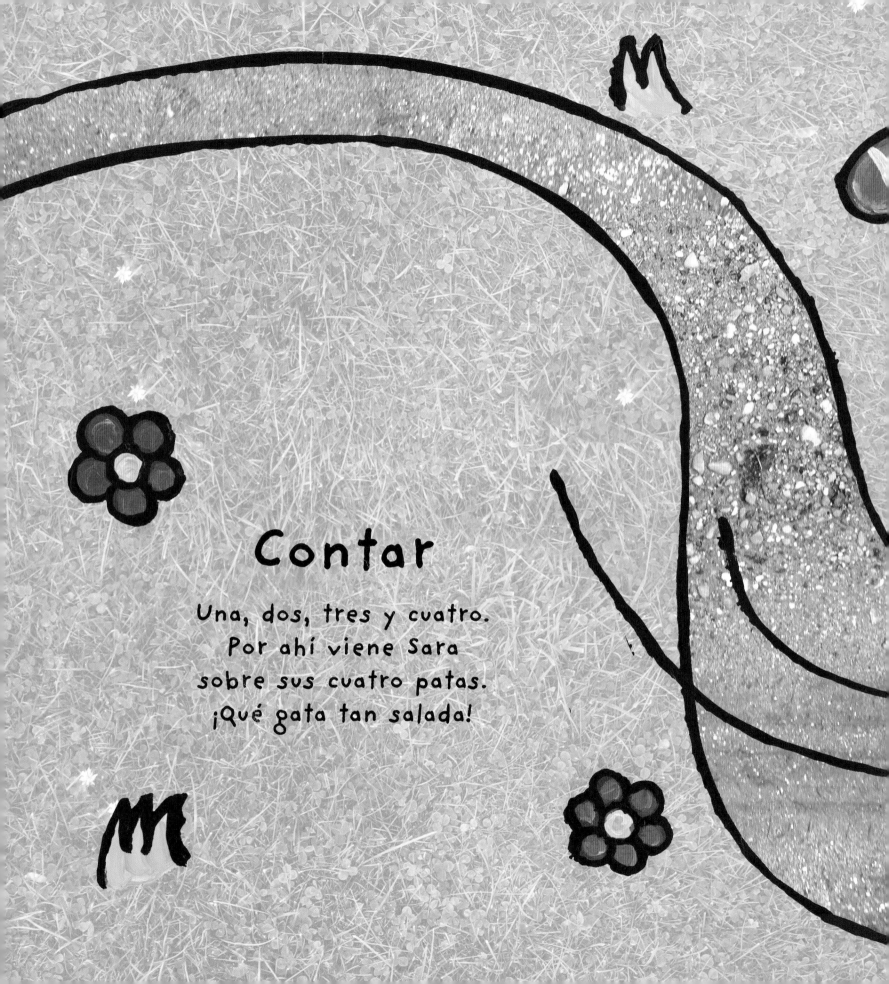

Contar

Una, dos, tres y cuatro.
Por ahí viene Sara
sobre sus cuatro patas.
¡Qué gata tan salada!

Laura se **cuenta** los dedos. ¡Tiene diez!

¿Quieres contar con ella?

1

Un pez

2

Dos osos

3

Tres patos

4

Cuatro abrigos

5

Cinco conejitos

6

Seis zanahorias

Brilla el sol. Nacho y Laura juegan
en el jardín. La gata, la coneja
y la pajarita han tenido crías.

¡Busca a las crías y a los caracoles!

4
gatitos

3
caracoles

5
pajaritos

6
conejitos

En esta página hay una Laura y en la de al lado hay un Nacho.

Señala los grupos de una y otra página que tienen
la misma cantidad de elementos.
Hazlo empezando por el 1 y terminando en el 10.

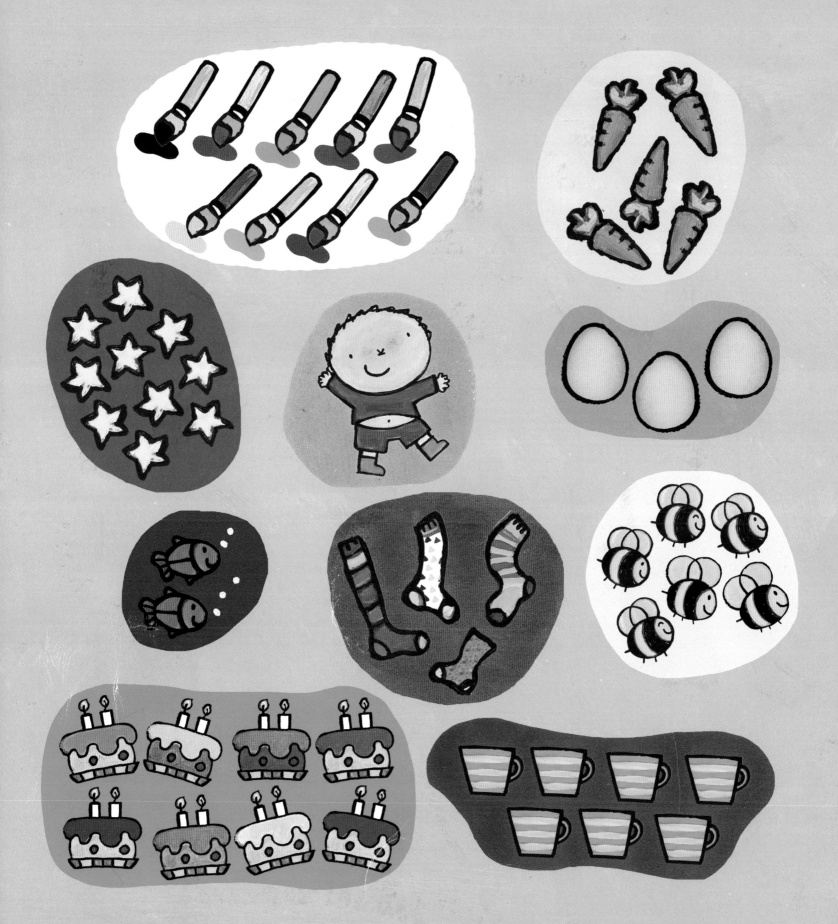

Laura tiene dos piernas. Una y dos.
El pato tiene dos patas. Una y dos.

Ahora cuenta las patas
de los otros animales.
Uno, dos y tres...
¡ADELANTE!

El flamenco se
sostiene sobre
una pata,
¡pero tiene **dos**!

El perro tiene **cuatro** patas
y un rabo.

Un elefante tiene **cuatro** patas fuertes.

1 2 3 4

La mariquita tiene **seis** patitas.

4 5 6 1 2 3

8 7 6 5 4 3 2 1

El pulpo tiene ocho patas. ¿Y la araña?

0

El caracol no tiene patas... ¡Y esta oruga tiene **diez**!

1 2 3 4 5 6 7 8 9 10

Laura va al supermercado con papá.
Y le ayuda a hacer la compra.

¿Quieres buscar y contar en los estantes
y en el carrito?
Encuentra las siete botellas.
Encuentra tres cajas de galletas.
Encuentra siete peras.
Encuentra cuatro juguetes.
¿Cuántos rollos de papel tiene cada paquete?

El truco de la galleta que desaparece

Mamá ha hecho galletas.
Una, dos, tres, cuatro
y cinco.
Hay cinco galletas
en el plato.

5

¿Seguro? Ha desaparecido
una galleta.
Una, dos, tres y cuatro.
Ahora hay cuatro
galletas.

4

¡Ha desaparecido
otra galleta!
Una, dos y tres.
Quedan tres galletas.

3

Ha desaparecido
otra galleta...
Una y dos.
Quedan dos galletas.

Ha desaparecido otra galleta.
Solo queda una galleta.
—¡Esta es para ti, mamá! —dice
Laura con la boca llena.

¡Nacho y Laura
están hechos
unos granujillas!

Formas

Círculos, cubos, corazones.
En una caja, formas y colores.
Me hago un bonito collar.
Tardaré un rato en terminar.

Laura ve un montón de **formas**.

¿Las ves tú?

El círculo

La estrella

El triángulo

El corazón

El cuadrado

El óvalo

Una pelota
redonda.

Un regalo
cuadrado.

Una luna llena **redonda**
y unas **estrellas.**

Un dibujo
de un **corazón.**

El tejado de la casa
es un **triángulo.**
La ventana es un **cuadrado.**
La puerta es un **rectángulo.**

Un huevo
ovalado.

Laura y sus amigos están haciendo una torre de bloques.

Intenta hacer las mismas figuras con tus bloques.

¿Ves aquí esas mismas
construcciones?
¿En qué se han convertido?

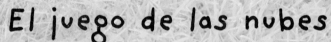

El juego de las nubes

Nacho y Laura están tumbados en la hierba.
Miran las nubes del cielo. El viento sopla
y hace que se alejen.
Cada una tiene una forma distinta.

—¡Mira, esa nube parece un perrito! —dice Nacho.

—¡Sí! —contesta Laura—. A su lado veo un pato.
Y esas nubecitas... son mariposas.

—Hay animales flotando en el cielo —añade Nacho.

«¡Guau! ¡Guau!».

—Oye, las nubes no ladran, ¿verdad? —pregunta Laura.

—Claro que no. ¡Es mi perro Rufo! —contesta Nacho,
muy contento—. ¿Vienes a jugar con nosotros, Rufo?

Utiliza papel de colores
para recortar distintas formas.
Laura las usa para hacer figuras.

¡Pruébalo e invéntate
nombres divertidos para ellas!

Aquí tienes las formas separadas.

¿Puedes reconocerlas en la casa de Laura?

Mira ahora en este lado.

¿Reconoces las formas
en el tren de Nacho?

¡Cuánto tráfico!
Nacho y Laura ya están en camino.

¿Puedes ver todos los círculos?

¡Esto está muy distinto!
Siete círculos han cambiado de forma.

Encuéntralos y di de qué forma son ahora.

A Laura le gustan mucho los **círculos rojos**.

¿Ves los tres círculos que están juntos?
¡Intenta encontrar todos los grupos
de tres elementos!

Laura se quita sus **dos** calcetines.
Son de un color **rojo** precioso.
Ahora se ven sus **diez** deditos
¿Los puedes ver ahí? ¡Abre los ojos!

Laura se acuesta con su muñeco,
con su conejo y con su osito.
Los **tres** duermen junto a ella.
¡Qué bien se siente con sus amigos!

Mamá le ha leído **un** cuento.
Papá le ha dado **un** gran beso.
Las **estrellas amarillas** brillan.
Laura se duerme con dulces sueños.